Véroniq

NUTELLA®

MINI gourmands | SOLAR EDITIONS

Sommaire

Introduction

Que l'on ait 3 ou 99 ans, il n'y a pas d'âge pour aimer le NUTELLA® !
D'ores et déjà, nous pouvons distinguer plusieurs types de consomma-
teurs. Il y a ceux qui sont très raisonnables, qui en mangent de temps en
temps, sur une simple tartine de pain frais… Il y a les gourmands, qui
plongent directement la cuillère dans le pot. Et puis, il y a les « addicts »,
les passionnés, les inconditionnels, les accros, les drogués : ceux qui en
mettent partout et qui ne sauraient supporter de manquer de cette den-
rée essentielle ! Si vous faites partie de cette dernière catégorie, vous
trouverez dans ce livre 28 recettes irrésistibles à base de NUTELLA®,
parfaites pour entretenir votre addiction ! Et si vous appartenez à l'une
des deux autres, vous découvrirez alors une autre manière de déguster
cette pâte à tartiner ô combien gourmande !
Avant de vous mettre en cuisine, il est important de peaufiner votre
connaissance de ce produit de légende. Pendant la Seconde Guerre mon-
diale, le chocolatier-pâtissier italien Pietro Ferrero eut une idée géniale :
il remplaça le chocolat, devenu rare, par des noisettes. Il y ajouta du lait,
un tout petit peu de cacao et créa ainsi le Giandujot. Mais alors qu'il avait
laissé sa préparation au soleil, celle-ci fondit. Satisfait de la crème obtenue, il transforma sa recette, créant ainsi la pâte à tartiner que nous
connaissons aujourd'hui.
Avant de démarrer, voici un dernier conseil d'une pro avisée : ne mettez
jamais un pot de NUTELLA® au réfrigérateur. C'est un sacrilège !

Verrines de riz au lait au Nutella®

Pour 6 à 8 verrines

10 cuill. à café bombées de NUTELLA®

130 g de riz rond

1 l de lait entier frais

15 cl de crème fleurette

100 g de sucre en poudre

• Rincez le riz à l'eau claire. Cuisez-le 1 minute à l'eau bouillante, puis égouttez-le.

• Versez le lait et la crème fleurette dans une grande casserole, ajoutez le sucre et mélangez. Ajoutez le riz et laissez cuire à feu très doux, en remuant très régulièrement (pour éviter qu'il n'attache au fond de la casserole), pendant 35 minutes environ.

• Goûtez et prolongez la cuisson du riz en fonction de la consistance et du moelleux désirés.

• Préparez vos verrines : déposez 1 grosse cuillerée à café de NUTELLA® dans le fond de chaque verrine, puis recouvrez de riz au lait.

• Quelques minutes avant la dégustation, passez les verrines au four à micro-ondes 1 minute à la puissance maximale.

Éclairs au Nutella®

Pour 10 à 12 éclairs

Pour la pâte à choux

4 œufs
+ 1 pour la dorure

80 g de beurre
+ un peu pour la plaque

125 g de farine

10 g de sucre en poudre

100 g de pépites
de nougatine (Vahiné®)

5 g de sel

Pour la crème pâtissière
au NUTELLA®

100 g de NUTELLA®

1 œuf entier + 6 jaunes

75 cl de lait entier

10 cl de crème liquide

60 g de Maïzena®

140 g de sucre en poudre

Sucre glace
pour la décoration

• Préparez la pâte à choux : dans une casserole, portez à ébullition 25 cl d'eau, le sel, le sucre en poudre et le beurre. Puis ajoutez la farine (hors du feu), mélangez, replacez sur le feu pour dessécher la pâte. Versez dans un saladier et laissez refroidir avant d'incorporer les œufs un par un.

• Préchauffez le four à 180 °C (th. 6).

• Beurrez une plaque à pâtisserie. Avec une poche à douille, dressez des boudins de 10 x 2 cm. Badigeonnez-les d'œuf battu. Saupoudrez les éclairs de pépites de nougatine. Enfournez les choux pour 30 minutes environ. Éteignez le four et entrouvrez la porte 10 minutes. Sortez la plaque et déposez les éclairs sur une grille. Réservez-les.

• Préparez la crème pâtissière : travaillez au fouet le sucre et les œufs, puis la Maïzena®. Portez le lait et la crème à ébullition avec le NUTELLA®, puis versez progressivement sur la préparation précédente, sans cesser de mélanger.

• Reversez dans la casserole. Faites chauffer à feu doux jusqu'à ébullition, sans cesser de mélanger. Versez dans un saladier. Couvrez de film alimentaire. Conservez 2 heures au frais.

• Coupez les éclairs en deux dans la longueur, garnissez-les à l'aide d'une poche à douille, refermez-les et saupoudrez de sucre glace. Attendez 1 heure avant de déguster.

Mousse tiède au Nutella®

Pour 8 personnes
200 g de NUTELLA®
4 œufs + 1 blanc
15 g de sucre semoule
40 g de sucre glace

● Préchauffez le four à 200 °C (th. 6/7).

● Cassez les œufs en séparant les blancs des jaunes. Mettez les 4 jaunes dans un saladier avec le sucre semoule, réservez les 5 blancs dans un autre saladier. Fouettez les jaunes jusqu'à ce que le mélange gonfle et épaississe.

● Faites fondre le NUTELLA® 15 secondes au four à micro-ondes pour le ramollir et mélangez-le avec les jaunes.

● Montez les blancs en neige ferme, puis incorporez le sucre glace. Prélevez 1 cuillerée à soupe de blancs en neige et mélangez-la à la préparation précédente pour la détendre. Puis incorporez très délicatement le reste des blancs en neige.

● Répartissez la préparation dans des assiettes creuses et glissez-les au four. Laissez cuire 7 ou 8 minutes, jusqu'à ce que la surface soit légèrement arrondie et craquelée. Servez aussitôt.

Baba au Nutella®

Pour 6 personnes
Pour la pâte à baba
2 œufs
2 cuill. à soupe de lait
5 g de beurre pour le moule
75 g de farine tamisée
1 sachet de levure
75 g de sucre semoule
1 sachet de sucre vanillé
1 pincée de sel
Pour le sirop
80 g de sucre semoule
1 verre de rhum
(environ 10 cl)
Pour la chantilly
90 g de NUTELLA®
30 cl de crème
fleurette entière
2 cuill. à soupe
de sucre glace

• La veille, préchauffez le four à 180 °C (th. 6).

• Dans un saladier, mélangez le sucre avec les jaunes d'œufs, ajoutez le lait, puis la farine, la levure et le sucre vanillé.

• Montez les blancs en neige, en y ajoutant le sel.

• Prélevez 1 cuillerée à soupe de blancs d'œufs et mélangez-la à la pâte pour la détendre. Puis incorporez délicatement le reste des blancs en neige à la préparation.

• Versez la pâte dans un moule à baba préalablement beurré. Enfournez pour 30 à 40 minutes.

• Démoulez le baba dans un grand plat et laissez-le refroidir. Puis mettez-le 24 heures au réfrigérateur pour le faire rassir.

• Le jour même, préparez le sirop : dans une casserole, faites bouillir 30 cl d'eau et le sucre, puis ajoutez le rhum. Imbibez le baba avec la moitié du sirop et réservez le reste.

• Préparez la chantilly : versez la crème très froide dans un petit saladier et fouettez-la au batteur électrique jusqu'à ce qu'elle soit bien ferme. Incorporez le sucre glace. Avec une spatule, mélangez délicatement le NUTELLA® à la chantilly (passez-le 30 secondes au four à micro-ondes pour le rendre plus souple).

• Terminez le pochage du baba avec le reste de sirop, déposez la chantilly au centre et servez accompagné du reste de chantilly au NUTELLA®.

Mille-feuilles au Nutella®

Pour 4 personnes

3 blancs d'œufs

50 g de beurre mou

40 g de farine

50 g de sucre glace

10 g de cacao en poudre

Pour la crème au NUTELLA®

100 g de NUTELLA®

3 jaunes d'œufs

40 cl de lait

10 cl de crème liquide entière

50 g de chocolat noir

45 g de farine

125 g de sucre en poudre

• Préchauffez le four à 180 °C (th. 6).

• Préparez les feuilles croustillantes : versez le beurre dans le bol d'un robot, puis incorporez et mélangez dans cet ordre : le sucre glace, les blancs d'œufs, la farine et le cacao.

• Sur une plaque à pâtisserie, déposez des petits tas de pâte avec une cuillère à café et étalez-la finement avec le dos de la cuillère afin d'obtenir 6 ronds de 5 cm. Espacez-les bien. Faites 2 tournées de cuisson. Passez 10 minutes au four.

• Décollez les feuilles lorsqu'elles sont encore chaudes et laissez-les refroidir.

• Faites la crème : dans une casserole, faites fondre le chocolat, le NUTELLA®, le lait et la crème. Amenez à ébullition.

• Dans un saladier, fouettez les jaunes d'œufs avec le sucre jusqu'à ce que le mélange blanchisse. Ajoutez la farine.

• Versez la crème par-dessus et mélangez jusqu'à obtenir un ensemble lisse. Reversez dans la casserole et faites épaissir à feu doux en remuant. Versez dans un saladier et couvrez d'un film alimentaire. Mettez 4 heures au frais.

• Sortez la crème, fouettez-la 1 minute pour la lisser et transférez-la dans une poche munie d'une douille cannelée que vous conserverez au froid jusqu'au dressage.

• Sur des assiettes, alternez les feuilles croustillantes et la crème NUTELLA® en terminant par une feuille et servez.

Crème renversée au Nutella®

Pour 6 personnes
60 g de NUTELLA®
4 gros œufs
50 cl de lait
120 g de sucre en poudre

Pour le caramel
au chocolat
40 g de chocolat
en morceaux
150 g de sucre en poudre

• Dans une casserole, faites bouillir le lait avec le NUTELLA®.

• Pendant ce temps, dans un saladier, fouettez le sucre et les œufs jusqu'à ce que le mélange blanchisse. Versez-y le lait bouillant en plusieurs fois. Fouettez au fur et à mesure, afin que les œufs ne coagulent pas à cause du lait chaud. Réservez.

• Préchauffez le four à 120 °C (th. 4).

• Réalisez le caramel : dans une grande et large casserole, versez le sucre et démarrez la caramélisation à feu vif. Remuez constamment à l'aide d'une spatule. Lorsque de la fumée apparaît, baissez le feu. Continuez de mélanger jusqu'à obtenir une jolie couleur ambrée et de petites bulles au fond de la casserole. Retirez du feu et stoppez la cuisson en incorporant les morceaux de chocolat.

• Versez le caramel au chocolat sur 5 mm d'épaisseur dans des verrines, puis remplissez avec la crème au NUTELLA®. Faites cuire au four au bain-marie 30 à 40 minutes environ (selon la taille des verrines). Sortez les petits pots et conservez-les 3 heures au réfrigérateur.

• Avec un couteau, décollez la crème des parois, Posez une petite assiette sur le dessus des verrines, retournez pour que la crème se renverse, nappée de caramel au chocolat, puis servez.

Cupcakes papillons au Nutella®

Pour 6 personnes

150 g NUTELLA®

2 œufs

100 g de beurre mou

100 g de sucre en poudre

100 g de farine

½ sachet de levure

• Préchauffez le four à 180 °C (th. 6).

• Dans un saladier, à l'aide d'un mixeur, blanchissez le beurre avec le sucre.

• Cassez les œufs dans un bol et battez-les très légèrement. Versez-les et incorporez-les petit à petit dans la préparation précédente. Ajoutez la farine et la levure. Mélangez.

• Déposez des caissettes en papier dans un moule à muffins et remplissez-les aux deux tiers. Enfournez pour 10 minutes ou jusqu'à ce que vos petits gâteaux soient dorés.

• Laissez refroidir puis, avec une petite cuillère, creusez une cavité au centre des cupcakes sur 1 cm. Conservez les chutes, coupez-les en deux.

• Remplissez une poche à douille de NUTELLA®, garnissez la cavité et reposez les chutes de gâteaux coupées en deux pour donner l'effet des ailes d'un papillon.

Nutella® liégeois

Pour 6 personnes
60 g de NUTELLA®
500 g de glace à la vanille
50 cl de lait
25 cl de crème
liquide entière
10 g de sucre en poudre

• Dans une casserole, amenez le lait et le NUTELLA® à ébullition. Mélangez de manière à obtenir un chocolat bien homogène. Laissez refroidir 1 heure au réfrigérateur.

• Montez la crème en chantilly, ajoutez le sucre, versez cette préparation dans une poche à douille munie d'un embout cannelé et réservez-la au réfrigérateur.

• Dans un verre de forme haute et étroite, remplissez au quart de lait au NUTELLA® froid (mélangez-le avant), ajoutez 2 boules de glace de vanille l'une sur l'autre et recouvrez de lait au NUTELLA® aux trois quarts du verre. Terminez en décorant avec la chantilly et parsemez quelques éclats de noisettes ou des amandes effilées. Servez.

Banoffee au Nutella®

100 g de NUTELLA®

3 bananes

Le jus de 1 citron

10 cl de crème fleurette

50 g de beurre

200 g de petits-beurre
Thé Brun® ou de biscuits
de votre choix

1 boîte de lait concentré
Nestlé®

Matériel

6 cercles de 5 cm
ou équivalent

• Préparez le caramel au lait : percez un petit trou dans la boîte de lait concentré, placez-la dans une casserole d'eau frémissante et laissez bouillir à petit feu pendant 3 heures. Ajoutez de l'eau en cours de cuisson pour que la boîte reste immergée. Sortez-la de la casserole, ouvrez-la et mélangez ; le lait doit être couleur caramel. Si ce n'est pas le cas, couvrez d'aluminium et remettez sur le feu jusqu'à l'obtention de la couleur attendue. Versez dans un saladier et mélangez au NUTELLA®. Laissez refroidir.

• Préchauffez le four à 180 °C (th. 6).

• Réduisez les biscuits en poudre et rajoutez le beurre fondu.

• Sur une plaque à pâtisserie, déposez une feuille de papier sulfurisé et posez vos cercles dessus. Tapissez chaque fond de cercle avec la pâte à biscuit sur 0,5 cm d'épaisseur et tassez avec le dos d'une cuillère. Enfournez pour 10 minutes.

• Coupez les bananes en fines rondelles et mettez-les dans un saladier avec le jus de citron. Mélangez. Disposez-les sur la couche de gâteau, recouvrez de caramel au NUTELLA® sur 1,5 cm. Mettez au frais pendant 1 heure.

• Juste avant de servir, montez la crème en chantilly, recouvrez le dessert jusqu'à la bordure du cercle et lissez à l'aide d'une spatule, décollez le cercle par en dessous, posez-le sur une assiette, retirez le cercle et laissez le tout s'écouler.

Soufflés au Nutella®

Pour 4 personnes
100 g de NUTELLA®
2 jaunes d'œufs
4 blancs d'œufs
15 cl de lait
5 g de beurre
pour les ramequins
15 g de fécule
de pomme de terre
70 g de sucre semoule
+ un peu pour les moules

• Dans un saladier, mélangez les jaunes d'œufs et 10 g de sucre, incorporez la fécule et le NUTELLA®. Pendant ce temps, faites bouillir le lait, versez-le sur cette préparation, reversez la crème obtenue dans la casserole et portez à ébullition sans cesser de remuer, de manière à obtenir la consistance d'une crème pâtissière. Laissez refroidir.

• Préchauffez votre four à 180 °C (th. 6).

• Montez les blancs en neige ferme, puis ajoutez progressivement le reste du sucre. Prélevez 1 cuillerée à soupe de blancs en neige et incorporez-la à la crème pour la détendre. Versez cette préparation sur le reste des blancs et incorporez-les très délicatement à l'aide d'une spatule.

• Préparez vos ramequins à soufflés : beurrez-les et sucrez-les, puis retournez-les pour ôter l'excédent. Versez l'appareil à soufflé aux trois quarts des moules. Enfournez pour 10 minutes environ.

• Servez dès la sortie du four, car les soufflés retombent assez vite.

Muffins pralinés au Nutella®

Pour 6 muffins

1 œuf

60 g de beurre + un peu pour le moule (facultatif)

½ pot de yaourt nature

120 g de chocolat pralinoise

50 g de NUTELLA®

6 noisettes pour le décor

100 g de farine

½ sachet de levure chimique

75 g de sucre en poudre

- Préchauffez le four à 180 °C (th. 6).

- Dans une casserole, faites fondre à feu doux le beurre et le chocolat pralinoise coupé en morceaux, puis réservez.

- Beurrez très légèrement le moule à muffins pour faciliter le démoulage ou garnissez chaque alvéole d'une caissette en papier.

- Dans un saladier ou dans le bol d'un robot, battez le sucre avec l'œuf, jusqu'à l'obtention d'une texture légère et mousseuse. Incorporez la farine et la levure chimique, puis versez le yaourt et le beurre fondu pour assouplir la pâte. Mélangez afin d'obtenir une pâte lisse et homogène.

- À l'aide d'une cuillère, remplissez les moules aux deux tiers.

- Enfournez pour 20 minutes, jusqu'à ce que les muffins soient bien gonflés, dorés à l'extérieur et cuits à l'intérieur. Vérifiez la cuisson avec la pointe d'un couteau : elle doit ressortir sèche.

- Sortez les muffins du four et laissez-les refroidir sur une grille.

- À l'aide d'une poche à douille munie d'un embout cannelé, décorez les muffins d'un petit dôme de NUTELLA®, déposez une noisette, puis dégustez sans attendre.

Moelleux au Nutella® en verrines

Pour 6 verrines

6 grosses cuill. à café de NUTELLA®

5 œufs

200 g de beurre
+ 5 g pour les verrines

200 g de chocolat noir type Nestlé® Dessert

1 cuill. à soupe de farine

180 g de sucre en poudre

• Faites fondre le chocolat et le beurre coupé en morceaux à feu doux et mélangez. Hors du feu, versez le sucre, puis cassez et incorporez les œufs un par un. Fouettez énergiquement et terminez en ajoutant la farine.

• Beurrez légèrement les verrines, remplissez-les à moitié, déposez dans chacune 1 grosse cuillerée à café de NUTELLA® et recouvrez de pâte jusqu'aux trois quarts du contenant.

• Placez les verrines 1 heure au réfrigérateur.

• Préchauffez le four à 180 °C (th. 6).

• Enfournez les verrines et faites cuire 10 à 12 minutes. Le dessus doit être cuit et l'intérieur, liquide. Servez les moelleux à la sortie du four, nature ou accompagnés d'une boule de glace vanille.

Tarte Nutella®-sirop d'érable aux noix de pécan

Pour 8 personnes

100 g de NUTELLA®

3 œufs

60 g de beurre doux

100 g de noix de pécan

50 g de sucre en poudre

10 g de sucre glace

250 g de sirop d'érable

1 pincée de sel

1 pâte brisée prête à cuire

• Préchauffez le four à 180 °C (th. 6).

• Déposez la pâte brisée dans un moule à tarte de 24 cm de diamètre. Piquez-la avec une fourchette et cuisez-la à blanc pendant 10 minutes.

• Dans une casserole, faites fondre à feu doux le beurre, le NUTELLA®, le sucre en poudre, le sel et le sirop d'érable, en mélangeant constamment. Coupez le feu et laissez tiédir.

• Dans un saladier, battez légèrement les œufs, versez doucement la préparation précédente par-dessus en l'incorporant.

• Garnissez la pâte brisée du mélange œufs-NUTELLA®-sirop d'érable et enfournez pour 20 minutes,

• Sortez la tarte, répartissez les noix de pécan et remettez au four pour 10 minutes, ou jusqu'à ce que le dessus soit légèrement doré.

• Sortez la tarte et programmez le four sur gril à 220 °C (th. 6/7).

• Saupoudrez la tarte de sucre glace et remettez-la au four 2 ou 3 minutes, afin de caraméliser les noix de pécan. Surveillez attentivement pour éviter que votre tarte ne brûle. Laissez tiédir avant de servir.

Mont-Blanc au Nutella®

Pour 4 personnes

Pour les meringues

60 g de blancs d'œufs
à température ambiante

55 g de sucre semoule

55 g de sucre glace tamisé

Pour la crème marron/
NUTELLA®

30 g de NUTELLA®

200 g de crème
de marron

200 g de purée
de marrons (épicerie fine)

Pour la chantilly

10 cl de crème liquide
entière

12 g de sucre semoule

10 g de sucre glace
pour la décoration

• Préchauffez le four à 85 °C (th. 2/3).

• Montez les blancs en neige. Lorsqu'ils commencent à mousser, ajoutez petit à petit le sucre semoule. Lorsque les blancs sont montés, cessez de fouetter et incorporez le sucre glace délicatement, à l'aide d'une spatule.

• Versez le mélange dans une poche à douille et dressez des petites boules de 3 cm de base sur 3 cm de hauteur environ, sur une plaque à pâtisserie recouverte d'une feuille de papier sulfurisé. Enfournez pour 2 heures. Éteignez le four et laissez les meringues refroidir.

• Préparez la crème au NUTELLA® : travaillez ensemble la purée et la crème de marrons, afin d'obtenir une texture homogène, puis incorporez le NUTELLA® (passez-le 1 minute au four à micro-ondes pour l'assouplir). Garnissez-en une poche munie d'une douille à vermicelle et réservez au frais.

• Montez ensuite la crème en chantilly, ajoutez le sucre et fouettez jusqu'à ce que le mélange soit bien ferme. Versez dans une poche à douille et conservez au réfrigérateur.

• Déposez les boules de meringue dans le fond d'un moule à muffins. Recouvrez de chantilly sur une épaisseur de 3 cm environ. Placez les dômes au congélateur pendant 1 heure.

• Recouvrez le dôme de chantilly de crème marron-NUTELLA®, tout en donnant une forme de montagne. Saupoudrez de sucre glace et servez.

Petites panna cotta au Nutella®

Pour 8 personnes

125 g de NUTELLA®
50 cl de crème liquide
50 g de sucre en poudre
6 g de gélatine en feuille
15 g de pralin

• Commencez par faire ramollir les feuilles de gélatine dans un bol d'eau froide.

• Dans une casserole, portez à ébullition la crème, le sucre et le NUTELLA®. Mélangez jusqu'à l'obtention d'une crème homogène. Coupez le feu, incorporez la gélatine préalablement essorée et mélangez au fouet.

• Versez la panna cotta obtenue dans de petites tasses à café et conservez au réfrigérateur pendant 4 heures au minimum.

• Décorez de pralin et servez.

Briochettes au Nutella®

Pour 8 à 10 personnes

1 cuill. à café de NUTELLA®
par briochette

5 œufs battus

10 cl de lait + 2 cuill. à café
pour dorer les briochettes

250 g de beurre
à température

500 g de farine + un peu
pour le plan de travail

20 g de levure de boulanger

60 g de sucre en poudre

10 g de sel

• Dans un verre, diluez la levure avec le lait tiède.

• Dans le bol d'un robot muni du crochet à pétrin, versez la farine, ajoutez le sel et le sucre. Versez les œufs battus et démarrez le pétrissage. Ajoutez le lait contenant la levure, mélangez, ajoutez le beurre coupé en petits cubes et pétrissez la pâte pendant 10 minutes. La pâte va se décoller des parois du bol et devenir lisse et élastique. Couvrez le bol d'un linge et laissez la pâte lever dans un endroit chaud et humide pendant 2 heures. Elle va doubler de volume.

• Déposez la pâte sur un plan de travail fariné. Avec les mains, rabattez-la et tapez dessus avec le poing pour la faire retomber. Elle doit retrouver son volume d'origine.

• Préchauffez le four à 180 °C (th. 6).

• Étalez la pâte avec un rouleau. À l'aide d'un emporte-pièce (ou d'un verre), découpez des ronds de taille identique (6 ou 7 cm environ), déposez 1 cuillerée à café de NUTELLA® sur chacun, ramenez les bords de la pâte vers le centre et façonnez une boule avec chaque disque garni de NUTELLA®.

• Posez les briochettes fourrées sur une plaque recouverte de papier sulfurisé, en les espaçant, et laissez-les lever 30 minutes. Avec un pinceau, humectez copieusement les briochettes de lait et enfournez pour 15 à 20 minutes.

• Sortez la plaque du four et dégustez vos briochettes tièdes.

Cookies au Nutella®

Pour 14 cookies

100 g de NUTELLA®

1 œuf

115 g de beurre doux
ramolli + 10 g
pour la cuisson

175 g de farine

115 g de sucre en poudre

● Préchauffez le four à 180 °C (th. 6). Couvrez une plaque à pâtisserie de papier sulfurisé et beurrez-le légèrement.

● Dans le bol d'un robot (ou dans un saladier et à l'aide d'un mixeur), mélangez le beurre mou avec le sucre. Incorporez l'œuf, puis la farine.

● Prenez 2 cuillères à soupe : prélevez de la pâte à cookie avec la première et plongez la seconde dans le pot de NUTELLA®, puis mélangez grossièrement les deux (recherchez un effet marbré et uniforme). Recommencez plusieurs fois.

● Déposez les boules de pâte obtenues sur la plaque. Pensez à bien les espacer, car elles vont s'étaler à la cuisson.

● Enfournez pour 10 à 12 minutes. Sortez du four, laissez tiédir et dégustez.

Barres de Nutella® crunchy

Pour 8 personnes

100 g de NUTELLA®

150 g de chocolat au lait en pastilles (chocolatier)

160 g de Gavottes®

• Écrasez les Gavottes® et réservez.

• Faites fondre le chocolat au lait dans un saladier au bain-marie à feu très doux. Puis ajoutez le NUTELLA® et mélangez pour obtenir une crème au chocolat bien lisse.

• Retirez le saladier du bain-marie, incorporez les brisures de Gavottes® et mélangez tous les ingrédients ensemble.

• Préparez une feuille de film alimentaire, versez la préparation dessus, recouvrez-la d'une autre feuille de film alimentaire. Aplatissez avec un rouleau à pâtisserie et modelez la préparation de manière à lui donner la forme carrée ou rectangulaire d'une maxitablette de chocolat d'environ 1 cm d'épaisseur.

• Conservez dans un endroit frais pendant 2 heures au minimum, afin que le chocolat durcisse.

• À l'aide d'un couteau, détaillez des petites barres, que vous n'aurez plus qu'à déguster avec gourmandise.

Flan au Nutella®

Pour 4 à 5 personnes
Pour la pâte brisée
250 g de farine
125 g de beurre
38 g de sucre en poudre
1 pincée de sel
1 pâte brisée prête à cuire
Pour la crème à flan
80 g de NUTELLA®
75 g de chocolat noir
3 jaunes d'œufs
40 cl de lait
10 cl de crème liquide entière
45 g de farine
125 g de sucre en poudre

• Préparez la pâte : dans le bol d'un robot, versez la farine, puis le sucre, le beurre coupé en morceaux, le sel et 5 cl d'eau. Mélangez jusqu'à l'obtention d'une boule de pâte. Enveloppez-la de film alimentaire et laissez-la reposer 2 heures au réfrigérateur.

• Préparez la crème à flan : faites fondre le chocolat, le NUTELLA®, le lait et la crème, puis amenez à ébullition.

• Pendant ce temps, dans un saladier, fouettez les jaunes d'œufs avec le sucre jusqu'à ce que le mélange blanchisse, puis ajoutez la farine. Versez par-dessus la crème au chocolat petit à petit et mélangez de manière à obtenir un ensemble lisse et homogène. Reversez la crème dans la casserole et faites-la épaissir à feu doux sans jamais cesser de remuer, afin d'éviter la formation de grumeaux.

• Préchauffez votre four à 180 °C (th. 6).

• Étalez finement la pâte brisée sur un plan de travail fariné, recouvrez-en le fond d'un moule à manqué, piquez la pâte avec une fourchette et faites-la cuire à blanc. Lorsqu'elle est légèrement dorée, sortez le moule du four, versez votre crème à flan, baissez la température du four à 160 °C (th. 5/6) et cuisez 30 minutes.

• Sortez le flan du four et laissez-le refroidir avant de le déguster.

Cake Pops au Nutella®

Pour 12 personnes

150 g de NUTELLA®

150 g de gâteau
au yaourt, cake
ou quatre-quarts

100 g de pastilles
de chocolat au lait ou noir
(chocolatier)

25 g de pépites
de nougatine (Vahiné®)

• Versez les pépites de nougatine dans un bol et réservez.

• Faites ramollir quelques secondes le NUTELLA® au four à micro-ondes sans le faire chauffer.

• Dans le bol d'un robot, réduisez le gâteau en poudre, ajoutez le NUTELLA® et mélangez de manière à obtenir une pâte homogène et compacte. Façonnez à la main des petites boules d'environ 10 g et placez-les 1 heure au réfrigérateur.

• Versez les pastilles de chocolat dans un bol et faites-les fondre au four à micro-ondes : chauffez 1 minute à 500 W, puis recommencez par tranches de 30 secondes en mélangeant à chaque fois, jusqu'à ce que le chocolat soit lisse et brillant.

• Piquez les boules de pâte au NUTELLA® sur des cure-dents (ou des bâtons de sucettes), plongez rapidement les sucettes une par une dans le bol de chocolat, faites-les tourner sur elles-mêmes, têtes en bas, pour enlever l'excédent de chocolat, puis posez le dessus de la sucette dans le bol contenant les pépites.

• Piquez les sucettes sur un support en polystyrène et laissez le chocolat se figer, puis dégustez-les.

Brownies au Nutella®

Pour 10 personnes

100 g de NUTELLA®

5 œufs moyens

250 g de beurre mou
+ 5 g pour le moule

300 g de chocolat noir

250 g de noisettes
entières

180 g de farine

340 g de sucre en poudre

• Dans un plat ou une assiette, versez les noisettes entières. Passez-les 1 minute au four à micro-ondes, à puissance maximale. Mélangez-les avec une cuillère et remettez-les 1 minute. Attention, la peau des noisettes ne doit en aucun cas brûler. Laissez refroidir. Réservez.

• Préchauffez le four à 180 °C (th. 6).

• Dans une grande casserole, faites fondre à feu très doux le chocolat cassé en morceaux et le beurre coupé en parcelles.

• Pendant ce temps, mélangez dans un saladier les œufs et le sucre jusqu'à ce que le mélange blanchisse.

• Lorsque le chocolat est fondu, ajoutez le NUTELLA®. Incorporez cette préparation au mélange œufs-sucre, puis ajoutez la farine et les noisettes grossièrement hachées.

• Versez la pâte à brownie dans un grand moule rectangulaire préalablement recouvert de papier sulfurisé beurré. Enfournez pour 20 à 25 minutes, jusqu'à ce que la surface du brownie soit légèrement dorée et l'intérieur, onctueux. Sortez-le du four, laissez-le refroidir et placez-le au réfrigérateur toute une nuit.

• Démoulez le brownie, découpez des petits carrés de taille identique et servez.

Beignets au Nutella®

Pour 8 à 10 personnes

Pour la pâte à beignets

3 œufs

30 cl de lait

150 g de beurre

750 g de farine + un peu
pour le plan de travail

2 sachets de levure
de boulanger déshydratée

60 g de sucre en poudre

1 pincée de sel

200 g de NUTELLA®

1 l d'huile

50 g de sucre glace
ou de sucre semoule

• Dans le bol d'un robot, versez le sucre, la farine et le sel.

• Faites tiédir le lait, prélevez-en 10 cl que vous mélangerez avec la levure.

• Dans un saladier, battez le beurre fondu avec les œufs, le lait tiède et la levure mélangés.

• Mettez en route le robot équipé du crochet à pétrir et versez petit à petit la préparation du saladier, jusqu'à l'obtention d'une pâte lisse. Au bout de 10 minutes, la pâte doit se décoller des parois du bol. Si elle est liquide, ajoutez un peu de farine jusqu'à la consistance désirée. Couvrez et laissez lever à température ambiante pendant 1 h 30. La pâte va doubler de volume.

• Sur un plan de travail fariné, étalez la pâte avec un rouleau à pâtisserie sur 1 cm d'épaisseur. Puis, à l'aide d'un verre ou d'un cercle, découpez un nombre pair de disques de même dimension.

• Déposez une noisette de NUTELLA® au centre de la moitié des disques, humectez-en les bords, couvrez des autres disques. Appuyez tout autour pour une bonne adhérence.

• Faites chauffer l'huile à 180 °C dans une grande casserole. À l'aide d'une écumoire, plongez-y les beignets, durant 1 ou 2 minutes. Ils doivent dorer de chaque côté.

• Déposez les beignets sur une assiette recouverte de papier absorbant. Puis roulez-les dans le sucre et dégustez.

Smileys au Nutella®

Pour 10 personnes

100 g de NUTELLA®

250 g de farine + un peu pour le plan de travail

1 œuf battu

150 g de beurre ramolli

90 g de sucre glace

1 gousse de vanille

30 g de poudre d'amandes

1 pincée de sel

• Préchauffez le four à 180 °C (th. 6).

• Dans le bol d'un robot, mélangez le beurre avec le sucre glace, le sel, la gousse de vanille et ses graines, l'œuf et la poudre d'amandes. Incorporez la farine et mixez jusqu'à obtenir une boule de pâte bien lisse.

• Ramassez la pâte et enveloppez-la de film alimentaire. Aplatissez-la et mettez-la 2 heures au réfrigérateur.

• Farinez votre plan de travail, étalez la pâte sur 4 mm d'épaisseur, découpez la moitié des formes rondes avec le moule à smiley et l'autre moitié avec un cercle de dimension équivalente (ou découpez tout avec un emporte-pièce rond si vous n'avez pas de moule à smiley). Cette partie pleine servira de base. Déposez tous les ronds (smiley et pleins) sur une plaque à pâtisserie. Enfournez 10 minutes environ. Les gâteaux doivent être très légèrement dorés.

• Lorsqu'ils sont encore chauds, déposez et étalez délicatement une noisette de NUTELLA® sur les ronds pleins (sans trop approcher des bords) et refermez avec les moitiés en forme de smiley. Appuyez très légèrement pour que le NUTELLA® se répartisse. Laissez refroidir.

Rochers pralinés au Nutella®

Pour 60 petits rochers
environ

Pour la pâte

100 g de NUTELLA®

15 g de pastilles
de chocolat noir
(chocolatier)

35 g de pastilles
de chocolat au lait
(chocolatier)

Pour l'enrobage

500 g de pastilles
de chocolat au lait ou noir
(chocolatier)

100 g d'amandes hachées
(rayon pâtisserie
des supermarchés)

• Torréfiez les amandes hachées à feu vif dans une poêle ou sur une plaque à pâtisserie au four 5 à 7 minutes à 180 °C (th. 6), en prenant soin de les mélanger régulièrement. Cette opération a pour objectif de faire ressortir le goût des amandes, qui vont prendre une couleur caramel. Réservez.

• Confectionnez la pâte : faites fondre à feu doux le chocolat noir et le chocolat au lait au bain-marie, puis ajoutez le NUTELLA®. Mélangez de manière à obtenir une pâte bien lisse.

• Versez cette pâte dans un moule en silicone rectangulaire sur une hauteur de 2 cm et conservez dans un endroit froid pendant 2 heures. Puis détaillez en petits cubes.

• Préparez l'enrobage : faites fondre délicatement au bain-marie 500 g de pastilles de chocolat au lait ou noir et ajoutez les amandes hachées.

• Trempez rapidement les rochers un par un dans le chocolat, enrobez-les et posez-les rapidement sur une feuille de papier sulfurisé. Laissez figer avant de déguster.

Smoothie poire-banane au Nutella®

Pour 2 personnes

50 g de NUTELLA®

1 banane bien mûre

1 poire bien mûre

1 filet de citron

20 cl de lait

60 g de pastilles de chocolat noir (chocolatier) pour les verres

6 glaçons

• Faites fondre le chocolat noir dans un saladier au bain-marie.

• Lorsque le chocolat est bien lisse et brillant, trempez le bord de 2 verres à pied sur 1 cm, égouttez, tournez le verre tête en bas pour ôter l'excédent, gardez-le ainsi 1 minute (le temps que le chocolat se fige), retournez-le et laissez le chocolat prendre.

• Épluchez la banane et la poire, ôtez les pépins de la poire, coupez la banane en rondelles et la poire en cubes. Rassemblez les fruits dans un saladier avec le citron, mélangez.

• Faites fondre le NUTELLA® : passez-le 30 secondes au four à micro-ondes, mélangez-le et recommencez jusqu'à ce qu'il soit liquide.

• Dans le bol d'un blender, mixez les fruits avec le NUTELLA® et le lait. En fin de préparation, ajoutez les glaçons.

• Versez immédiatement dans les verres et consommez sans attendre.

Spritz au Nutella®

Pour 25 spritz

100 g de NUTELLA®

250 g de farine

½ sachet de levure chimique

1 gros œuf

125 g de beurre très mou + un peu pour la plaque

25 g de poudre d'amandes

1 gousse de vanille

125 g de sucre semoule

• Préchauffez le four à 180 °C (th. 6).

• Dans un saladier ou le bol d'un robot, mélangez le beurre avec le sucre et l'œuf, puis la poudre d'amandes, la farine, les graines de la gousse de vanille et la levure. Vous devez obtenir une pâte assez molle.

• Remplissez de cette préparation une poche munie d'une douille cannelée et dressez, sur une plaque à pâtisserie légèrement beurrée, des petits gâteaux en forme de gros « s » ou de « w ».

• Enfournez pour 10 à 15 minutes.

• Lorsque les spritz sont froids, trempez leurs extrémités dans un bol de NUTELLA®, préalablement passé 1 minute au four à micro-ondes pour en assouplir la texture. Laissez reposer sur la plaque 1 heure et dégustez.

Crêpes au caramel au Nutella®

Pour 8 personnes

Pour la pâte à crêpes

1 l de lait entier

3 gros œufs

40 g de beurre fondu
+ 20 g pour la cuisson

250 g de farine

20 g de sucre en poudre

1 pincée de sel fin

Pour le caramel
au NUTELLA®

60 g de NUTELLA®

10 cl de crème
liquide entière

20 g de beurre

100 g de sucre en poudre

• Préparez la pâte : versez la farine dans un saladier, ajoutez le sel, les œufs et le sucre. Mélangez avec un fouet et versez progressivement 75 cl de lait en remuant sans cesse, afin d'obtenir une pâte bien lisse. Ajoutez le beurre fondu et mélangez. Laissez reposer 1 heure au frais. Si la pâte épaissit, ajoutez le reste du lait pour la rallonger.

• Préparez le caramel : faites chauffer la crème et réservez.

• Dans une casserole, versez le sucre et démarrez la caramélisation à feu vif, en remuant constamment à la spatule. Lorsque de la fumée apparaît, baissez le feu et continuez de mélanger jusqu'à obtenir une couleur ambrée et de petites bulles. Retirez du feu, incorporez le beurre, versez la crème liquide chaude en deux fois, en mélangeant énergiquement avec une spatule. Ajoutez le NUTELLA® en remettant sur feu moyen 1 minute, versez dans un bol et réservez.

• Préparez un bol de beurre fondu. Faites chauffer une poêle à crêpes, graissez-la à l'aide de papier absorbant trempé dans le beurre, versez un peu de pâte avec une louche et répartissez sur toute la surface de la poêle. Cuisez 20 secondes de chaque côté, débarrassez sur une assiette et recommencez. Tartinez chaque crêpe de caramel au NUTELLA®, roulez la crêpe sur elle-même et servez.

Bonbons caramel au Nutella®

Pour 8 à 10 personnes
125 g de NUTELLA®
165 g de crème fleurette
5 g de beurre doux
125 g de sucre en poudre
125 g de glucose

• Dans une casserole, réunissez la crème, le sucre et le glucose. Faites cuire à feu doux pour atteindre la température de 118 °C pour des caramels mous et 121 °C pour des caramels plus durs.

• Hors du feu, ajoutez le NUTELLA® et le beurre. Versez le mélange sur une feuille de papier sulfurisé et, avec un rouleau à pâtisserie ou une spatule, égalisez le caramel sur 1,5 cm d'épaisseur.

• Laissez refroidir et détaillez en carrés.

Découvrez le catalogue des éditions Solar sur : **www.solar.fr**
Testez chaque jour une nouvelle recette sur www.solar.fr
rubrique « Club des Gourmands ».

Échangez avec des auteurs, blogueurs et autres gourmands
sur notre page Facebook où des surprises vous attendent :
www.facebook.com/ClubDesGourmandsSolar

NUTELLA® est une marque enregistrée de FERRERO.

Direction éditoriale : Corinne Cesano
Édition : Delphine Depras
Direction artistique : Vu Thi
Graphisme et suivi artistique : Julia Philipps
Photos : Amélie Roche
Stylisme : Alexia Janny
La photo de la p. 27 est d'Édouard Scot, stylisme de Natacha Arnoult.
Mise en page et photogravure : AP3/Chromostyle
Fabrication : Laurence Ledru-Duboscq
© Éditions Solar, 2012
Tous droits de traduction, d'adaptation et de reproduction par tous procédés, réservés pour tous pays.
ISBN : 978-2-263-05977-3
Code éditeur : S05977/02
Dépôt légal : juillet 2012
Imprimé en France par Loire Offset Titoulet

Solar | un département **place des éditeurs**

place
des
éditeurs